Pas touche à Charly !

Pour mes deux lions,
qui se reconnaîtront !
M.D.

Loi n° 49-956 du 16 juillet 1949 sur les publications destinées à la jeunesse
ISBN : 978-2-09-254569-0
N° d'éditeur : 10189594 - Dépôt légal : avril 2013
Imprimé en France par Pollina - L64042

Mymi Doinet

Pas touche à Charly !

Illustrations de Glen Chapron

Nathan

un

Bilal, le labrador

CE SOIR, il fait un temps à se congeler la truffe !

J'irais bien lever une patte près du réverbère, là-haut, sur le pont. Mais pas question de poser mes coussinets sur le sol glacé !

Je préfère rester le museau, collé là, bien au chaud contre le sac de couchage, qui monte, descend et remonte. Dedans, un homme respire. C'est Gustave, mon maître adoré ! Il peut dormir tranquille : nuit et jour, je veille sur lui et sur Charly ! C'est ma grande mission dans la vie, et je le grogne tout net :

– Gare à ceux qui tenteraient d'attaquer mon maître ou qui oseraient kidnapper Charly, mes canines sont prêtes à leur tailler un bon bifteck !

À minuit, mon maître s'est mis à tousser à s'en décrocher la mâchoire. Il s'est retourné sur son matelas défoncé et a cligné d'un œil en direction de Charly. Caché sous sa bâche en plastique, Charly n'avait pas bougé d'un millimètre. Rassuré, mon maître a sorti les mains de son duvet pour me caresser le dos. C'est si bon quand Gustave me grattouille le pelage ! Puis il a marmonné avec sa voix bousillée par son gros mal de gorge :

– Tu es ma bouillotte, mon Bilal !

Dans le brouillard givrant du petit matin,

le jour s'est levé, mon maître aussi. D'un bond, j'ai quitté ma couverture et j'ai reniflé autour de ma gamelle. Gustave a bien vu que j'avais les crocs ! Ma boîte de croquettes étant vide, il a aussitôt partagé le sandwich de son petit déjeuner. Ça m'a piqué les babines ! Signe que, manquant de beurre, mon maître avait tartiné de la moutarde à la place. Mais pas de chichis ! Maintenant, nous étions d'attaque pour filer le long de la Seine avec Charly !

deux

Gustave, le maître de Bilal

CETTE NUIT, CHARLY, Bilal et moi, on a encore dormi au clair de lune. Par zéro degré, c'était loin d'être du camping trois étoiles ! À minuit, le vent d'hiver s'est engouffré sous notre pont. Je t'ai vu, bon chien, te lever et te recoucher aussitôt en faisant sortir de la vapeur de ton museau. J'ai grelotté :

– Ça gèle comme dans un igloo, mon Bilou !

J'ai alors illico presto sorti une couverture pour te couvrir le dos, et j'ai rajouté une bâche sur Charly pour le protéger de l'humidité. Ensuite, j'ai enfilé un quatrième pull sur mes deux tee-shirts. Puis j'ai enroulé mon écharpe par-dessus ma clé d'or accrochée en pendentif. Mais rien à faire avec ce satané blizzard : toute la nuit, j'ai toussé à m'en ruiner les côtes !

Au matin, un joggeur sur le quai a réagi à mes quintes de toux :

– Vous devriez aller dans un centre d'hébergement, sinon vous finirez par attraper la mort !

De quoi il se mêle ce marathonien du dimanche ? On voit bien qu'il n'a jamais mis une basket dans les lieux gris pour sans-abri ! Les gars s'y bagarrent pour un litre de vin qui tache. Et je ferais quoi, moi, si un tas

d'ivrognes s'en prenait à Charly pour le dévaliser ? Et puis on y chope des poux et des puces. Rien que d'y penser, ça me démange :

– Non, cet endroit n'est pas pour nous… Oui, je sais, tu as une faim de loup, tiens, goûte mon casse-croûte, morfal Bilal !

Ventre à pattes, on en a vécu des nuits à la rue depuis ce lundi gris où je t'ai sauvé la vie ! Ce jour-là, je t'ai tout de suite repéré au milieu de la décharge municipale. Pauvre chiot abandonné ! Tu avais un cornet de frites sur la tête, tu tremblais, tu couinais. Tu étais si rikiki, que tu aurais pu tenir dans une boîte à chaussures taille 29 ! Je t'ai glissé dans mon anorak, et je t'ai emmené sous mon pont avec vue imprenable sur les bateaux-mouches !

Les mois ont passé. Maintenant, avec tes 33 kilos et tes 42 dents, tu m'aides à protéger Charly 25 heures sur 24 :

– Mais oui, c'est de toi que je parle, top museau, mon fidèle garde du corps !

Aaatchoum ! Ça te surprend toujours quand j'éternue. Je t'envie : toi au moins tu ne risques pas d'attraper la grippe sous ton manteau pur poil ! Heureusement, depuis la semaine dernière, j'ai un épais duvet bourré de plumes d'oies du Canada. C'est Angela, la super fille des Restos du Cœur, qui me l'a donné.

Bon, allez, au boulot, Bilal ! Il va falloir gagner de quoi acheter tes croquettes, plus des lames de rasoir pour couper ma barbe de deux jours et une éponge pour débarbouiller Charly qui s'est encore couvert de gadoue !

trois

Bilal, le labrador

CE MATIN, il fait toujours aussi froid ! Pour me réchauffer, rien de tel que de cavaler. Je slalome sur les trottoirs entre les mégots et les chewing-gums. Charly et Gustave me suivent à vive allure, direction la tour Eiffel ! Inoxydable, la géante semble toucher le ciel. Moi aussi j'ai un moral d'acier : je tourne en bas des piliers et renifle : ça vient d'être lavé au jet d'eau, ça sent la javel à pleins naseaux !

Autour du parvis, il y a déjà une dizaine de commerçants ambulants. Mon maître se dépêche de trouver le meilleur emplacement :

– Stop, Bilal, on va s'installer pile poil ici !

Gustave et Charly s'arrêtent près du stand d'Omar, le vendeur de porte-clés en forme de tour Eiffel.

À deux pas de là, un autre marchand débarque. C'est Antonio. Lui, il espère écouler

son stock de boules à neige, plus un produit que je n'avais jamais vu avant.

Curieux, je flaire ses paquets posés à même le sol.

– Hé, goinfre, ça ne se boulotte pas tout cru les nouilles !

Des pâtes en forme de tour Eiffel, voilà la trouvaille d'Antonio !

Mon maître, lui, ne vend rien. Il s'approche de Charly qui transporte toute sa fortune pour le décharger de plusieurs morceaux de métal. Gustave a besoin de place. Il me houspille :

– Bouge de là, *big* Bilou !

Mon maître ouvre ensuite sa boîte à outils. Signe qu'il va bricoler, visser, ajuster. Il assemble quatre pieds en bronze. Le chef-d'œuvre de mon maître prend forme : Gustave est en train de réussir son parfait modèle réduit de la tour Eiffel !

Puis mon maître saisit la clé d'or accrochée à son cou. Il la place dans le cœur de sa tour, et remonte un savant mécanisme d'horlogerie. Les roues dentées tournent. Je dresse une oreille. Clip, clap, clap, clip ! Le tic-tac est en marche : sur le cadran placé juste au milieu de la tour Eiffel de Gustave, les aiguilles indiquent huit heures. Et pendant que les secondes s'écoulent, de minuscules ampoules clignotent de bas en haut comme en pleine nuit. J'aboie près de Charly, muet d'admiration. Notre maître a vraiment de l'or dans les pattes !

quatre

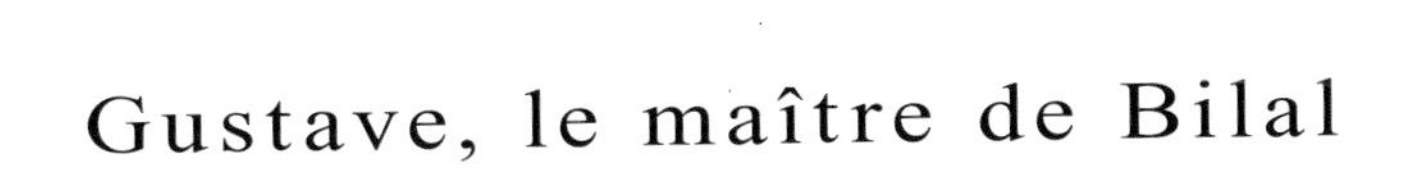

Gustave, le maître de Bilal

J'IRAIS BIEN BOIRE un café pour me réchauffer la tuyauterie ! Mais les touristes sont déjà là. Par un temps pareil, je n'aurais pas cru qu'ils viendraient si nombreux. Plus emmitouflés que des skieurs, ils s'empressent de photographier la vedette des lieux. Au passage, clic, clac ! ils prennent aussi en souvenir ma tour qui leur donne l'heure et scintille. Pas radins, ils déposent des pièces dans ma coupelle. Je hoche la tête dans toutes les langues :

– Merci, *thanks, gracias, danke, spaciba, choukrane, domo arigato* !

Une mamie aux cheveux bleus nous filme même avec son téléphone portable. Elle doit être américaine :

– *Your Eiffel tower and your dog are so beautiful !*

Puis, une petite fille flashe sur Bilal qui

vient d'entamer un mini-roupillon. Elle demande en accourant dans sa doudoune couleur barbe à papa :

– Combien coûte cette peluche géante ?

J'ai pas le temps de lui expliquer que mon chien n'est pas à vendre. Sa mère l'attrape par la moufle.

– Lili-Rose, ne parle pas aux clochards, ils sont pleins de microbes !

De telles paroles font sortir Bilal de sa sieste. Tout doux Bilou, pas mordre la dame !

Lili-Rose nous sourit, et clang ! 20 centimes tombent dans ma coupelle.

Bientôt midi. On a gagné de quoi s'offrir un festin ! Mais tout à coup, c'est la pagaille : une brigade de flics envahit le parvis !

Omar remballe ses tours porte-clés et Antonio se carapate avec ses derniers paquets de nouilles. Moi, j'ai à peine le temps

OLICE
POLICE NATIONALE

de soulever ma tour Eiffel pour la confier à Charly, que argh ! trois de ces crânes à képi m'interpellent en fonçant sur moi. Je crie :

– Pas touche à Charly !

Bilal hurle, lui aussi. Pas pour longtemps ! Deux gants de cuir referment ses mâchoires pour le museler. Pauvre Bilou, ils t'ont cloué le museau !

Puis dans la bousculade générale, ma boîte à outils se renverse, et violemment poussé, Charly bascule en faisant tomber ma tour Eiffel. Au même moment, un flic me menotte.

– Interdiction de faire la manche ici ! Allez, au poste !

Puis il me traîne de force jusqu'au fourgon, comme le pire des bandits. Sans Bilal, sans Charly !

La Minute
Bleue

cinq

Angela, la bénévole des Restos du Cœur

J'AI QUITTÉ MA BIJOUTERIE « La Minute Bleue », juste à l'heure de la pause déjeuner. Après une matinée plus que mouvementée à la boutique, je m'apprêtais à aller aux Restos du Cœur pour y distribuer de la nourriture aux sans-abri. Brusquement, en passant près de la tour Eiffel, j'ai entendu hurler aussi fort qu'une meute de loups. Puis les cris se sont arrêtés d'un coup. J'ai couru vers le parvis. Là, au milieu de la foule, j'ai tout de suite reconnu le pauvre labrador sous sa muselière : on ne croise pas un museau aussi craquant tous les jours ! C'était le chien du SDF aux yeux vert émeraude à qui j'avais donné un duvet mardi dernier.

Son maître n'était plus là. Aux pieds du labrador, il y avait juste une boîte à outils cabossée, et une superbe horloge en forme de tour Eiffel qui clignotait. J'ai bien vu que le chien était prêt à pleurer. Mais ça n'a pas de larmes un toutou triste.

Je ne pouvais pas agir autrement, j'ai à moitié menti aux policiers :

– C'est mon chien ! Il a couru après un petit voleur armé d'un pistolet qui tentait de dérober un collier dans ma bijouterie.

En ôtant la muselière du chien, l'homme en bleu a ordonné :

– Bon, circulez, maintenant !

Son museau libéré, le labrador m'a aussitôt léché les mains. Lui aussi m'avait reconnue ! Puis il a tourné autour de la tour Eiffel horloge, comme s'il protégeait la Joconde !

J'ai ramassé la boîte à outils et la tour scintillante. Son tic-tac était aussi régulier que les battements d'un cœur. Quelle magnifique œuvre d'art ! Je me suis dit qu'elle décorerait à merveille ma bijouterie pour les fêtes. Mais il fallait que je demande la permission à son propriétaire. Sans l'ombre d'un doute, c'était aussi le maître de cette crème de chien qui désormais me suivait pas à pas !

76N-48128

six

Gustave, le maître de Bilal

À TRAVERS LES VITRES DU FOURGON, j'ai aperçu Bilal, prisonnier sous sa muselière, mon horloge à terre, et à plusieurs mètres de là Charly qui avait glissé. J'ai maudit notre sort, c'était trop injuste.

Arrivé au commissariat, on m'a pris ma clé d'or et directement coffré dans une cellule avec un ado. Il venait de braquer une bijoutière en l'ayant menacée avec un flingue, un jouet, ça se voyait ! Le môme a protesté :

– C'était pour rire, j'voulais pas la tuer m'sieur !

Ce grand dadais aurait pu être mon fils :

– Bien sûr que tu ne voulais zigouiller personne. Sauf qu'on ne fait pas ce genre de blague à six jours de Noël, pas plus que le 1er avril d'ailleurs !

On a passé la nuit au poste. Le gosse a fini par s'endormir. Pas moi ! Impossible de vivre loin de Bilal, loin de Charly, sans ma tour et ma clé d'or.

À l'aube, la mère du gamin est arrivée tout essoufflée après sa nuit de garde à l'hôpital. L'ado a éclaté en sanglots.

– Mmmaman, j'ai pas fait de crime, juste un canular !

Le môme a été relâché à l'heure des croissants.

Puis, ça a été mon tour de passer dans le bureau de l'inspecteur de police. Il n'avait pas allumé sa lampe, c'était plus sombre que dans une cave. Il a commencé son interrogatoire aussi sec :

– Quelle était votre activité avant de mendier ?

J'ai résumé quinze ans de ma vie comme dans un film en accéléré :

– Je fabriquais des montres. Mon usine a été délocalisée, on a tous été licenciés. Avec le chômage, j'ai plus eu de quoi payer mon loyer et je me suis retrouvé à la rue.

– D’où vient la clé d’or qui pendouillait à votre cou ?

– Parole d’honneur, je l’ai pas volée ! Avec ce passe-partout, je peux remettre en marche n’importe quel système d’horlogerie ou d’automate. C’est mon père qui me l’a léguée. Lui aussi était horloger. Cette clé, c’est le seul trésor qui me restait, car depuis hier, j’ai tout perdu, mon Bilal et mon Charly !

L’inspecteur a voulu en savoir plus. Il m’a questionné, en partageant les chouquettes de son petit déjeuner :

– C’est qui ces deux zigs ?

J’aurais voulu lui expliquer que j’avais adopté Charly le même jour que Bilal, qu’il m’aidait à trimballer ce que j’avais de plus précieux au monde, ma boîte à outils et ma tour Eiffel horloge, construite sur les plans dessinés par mon paternel. Mais j’ai pas pu, j’en avais trop gros sur la patate !

TRAITE
DE
LA POLICE

Un rayon de soleil a illuminé le bureau de l'inspecteur. J'ai alors vu qu'il l'avait décoré avec des masques venant d'Afrique et du carnaval de Venise. Pas étonnant quand on cherche à démasquer les coupables ! Je me suis dit qu'un tel collectionneur ne pouvait pas être un mauvais bougre. Il l'a aussitôt prouvé en me rendant ma clé d'or et en me relâchant sans aggraver ma misère !

Je suis aussitôt retourné sur le parvis de la tour Eiffel. J'ai erré à la recherche d'indices. J'ai rien trouvé. Je me suis alors assis sur un banc et une pluie salée a coulé sur mes joues. À midi au loin, j'ai aperçu la fille des Restos. Mon cœur a fait boum : elle était accompagnée de mon Bilou. Il l'a tout de suite devancée pour me faire la fête. Mais Charly, lui, n'était pas là !

sept

Bilal, le labrador

DÈS QUE J'AI APERÇU mon maître, j'ai galopé pour lui faire de bavantes léchouilles ! Gustave a soulevé mes pattes comme si on allait danser le tango. Là, j'ai senti la bonne odeur de sa peau !

La belle Angela était aux anges. Quand elle a appris que mon maître était horloger, elle lui a proposé de venir travailler à « La Minute Bleue » :

– Dans mon magasin, des dizaines de montres et de pendulettes ne tictaquent plus. Vous pourriez peut-être les réparer ?

De sa douce voix, Angela a aussi murmuré à Gustave :

– Sur le parvis, en plus de votre boîte à outils, j'ai récupéré votre somptueuse tour

Eiffel. Accepteriez-vous qu'elle scintille dans ma vitrine de Noël au milieu des sapins givrés et des bagues en diamants ?

Mon maître s'est senti soudain chanceux.

– Retrouver le boulot de pro que j'aime tant, c'est aussi inespéré que de gagner au loto !

Pourtant, je le voyais bien, quelque chose continuait à le tracasser : l'absence de Charly. Mais il avait tort de s'en faire !

Mon maître s'est tout de suite installé dans l'atelier de l'arrière-boutique. Il a réparé trois montres à gousset. Puis, muni de sa clé d'or, il a refait gazouiller un coucou suisse.

Pendant ce temps-là, je montais la garde sous le comptoir. Ce n'était vraiment pas le temps de roupiller ! Dans la vie, j'avais maintenant deux missions : veiller sur la boutique d'Angela et, plus que jamais, protéger Charly. Eh oui ! Angela et moi, nous l'avions sauvé hier soir de la noyade au bord de la Seine.

Soudain, Angela est apparue avec Charly rempli de précieux objets à réparer. Il rayonnait un maximum de tout son aluminium !

Mon maître venait enfin de retrouver Charly, son caddie chéri.

Table des matières

Mymi Doinet

Enfant, j'avais peu de jouets, mais des livres avec qui je dormais. Ils étaient mes confidents, mes amis. Aujourd'hui, il y a toujours des piles de bouquins près de mon lit. Et puis maintenant, j'en écris, des contes et des histoires vraies aussi, telle celle de ce SDF et de son labrador rencontrés un soir d'hiver. Si vous croisez un sans-abri et son chien, donnez-leur au moins un sourire. Comme Gustave et Bilal, ils vous diront merci !

Glen Chapron

Né en Bretagne, près des Monts d'Arrée, Glen Chapron part étudier la gravure à Paris à l'École Estienne, puis l'illustration aux Arts Décoratifs de Strasbourg. Il y rencontre les futurs membres du Collectif Troglodyte et Julia Wauters avec qui il lance le fanzine Écarquillettes.

Après avoir publié *Once upon a ride* (Collectif Troglodyte) et dessiné *Daphnée & Iris* (Casterman), *Vents Dominants* (Sarbacane) et dernièrement *L'attentat* avec Dauvillier (Glénat), il vit et travaille à présent à Nantes où il navigue entre illustration jeunesse et bande dessinée. *Pas touche à Charly !* est sa première collaboration avec Mymi Doinet et les éditions Nathan.

Le jongleur le plus maladroit

de Evelyne Brisou-Pellen
illustré par Nancy Peña

« Quand Aymeri le jongleur,
son grand sac en bandoulière, passa
devant la ferme, il entendit des cris.
Surpris, il s'approcha à pas de loup et aperçut
un homme grand et maigre, vêtu d'une cape noire,
qui fouettait un paysan.
Le paysan pleurait :
– Arrêtez, messire l'intendant ! Arrêtez !
« Tiens tiens, se dit Aymeri, voilà donc l'intendant
du château. »

L'homme à la cape noire cria :
– Je vais t'apprendre, misérable, à dissimuler
du grain dans ta paillasse ! Le grain appartient
à ton seigneur, tu dois le lui donner. »

Aymiri déteste les injustices ! Manque de chance pour
l'intendant, le jongleur est très maladroit… si maladroit
qu'il pourrait venger les innocents… accidentellement !